© 2017, éditions Auzou
24-32, rue des Amandiers, 75020 Paris - France

Direction générale : Gauthier Auzou
Responsable éditoriale : Maya Saenz-Arnaud
Éditrice : Emeline Trembleau
Conception graphique : Alice Nominé
Mise en page : Ève Gentilhomme
Responsable fabrication : Jean-Christophe Collett
Fabrication : Bertrand Podetti
Correction : Catherine Rigal

Produit conçu et fabriqué sous système de management de la qualité certifié AFAQ ISO 9001.

Mes Premières ENQUÊTES

LE MONSTRE DU LAC

Écrit par Emmanuel Trédez
Illustré par Maud Riemann

AUZOU *romans* Premiers pas

1 Un week-end à la campagne

Enzo et ses parents passent le week-end à la campagne : ils ont loué une cabane dans les arbres pour deux nuits ! Le vendredi soir, à peine arrivés, ils dînent en compagnie des propriétaires et de deux autres familles dans une grande salle à manger.

Les enfants sont installés à une table à part. Enzo est assis entre Manon, la fille des propriétaires, et Zoé. Elles sont à peine plus âgées que lui. Il y a aussi deux garçons d'une quinzaine d'années : Gabriel, le frère de Manon, et Joachim.

— Et voici mon chien, Max ! dit Enzo pour conclure les présentations.

Pendant le dîner, l'hôte recommande aux parents de ne pas laisser leurs enfants s'approcher du lac.

— Il y a déjà eu des accidents !

Gabriel en profite pour faire un commentaire :

— Ce que mon père ne dit pas, murmure-t-il, c'est qu'un monstre rôde vers le lac. Parfois, les nuits de pleine lune, il s'aventure même jusqu'ici !

Enzo n'est guère rassuré, mais la curiosité l'emporte sur la peur.

— À quoi il ressemble, le monstre du lac ? demande-t-il.

— Je ne l'ai jamais vu, répond Gabriel, mais on dit qu'il ressemble à un crapaud géant.

— Un crapaud, ça se nourrit d'insectes, observe Enzo.

— Pas ce crapaud-là. Il mange aussi des petits animaux. À ta place, je surveillerais Max !

— Surtout que demain, c'est la pleine lune, remarque Joachim.

— Oui, ajoute Gabriel, il pourrait avoir un max d'ennuis !

Enzo prend son chien sur ses genoux et le serre très fort dans ses bras.

Au moment de se mettre au lit, il pense encore à cet horrible monstre du lac…

Manon

2 Le secret

Le lendemain matin, pour rejoindre la salle à manger, Enzo emprunte le pont de singe qui relie la cabane à une tyrolienne. En quelques secondes, il se retrouve en bas, prêt à prendre son petit-déjeuner ! Une fois rassasiés, les enfants font une partie de cache-cache dans la forêt. Enzo, qui s'est trouvé une bonne cachette, surprend la fin d'une conversation entre Gabriel et sa sœur :

— Surtout, tu ne dis rien à Enzo, sinon…

Dans l'après-midi, après un parcours d'accrobranches qui a enthousiasmé

les enfants, Gabriel leur propose de dessiner. Quand Manon a fini son dessin, elle le tend à Enzo.

— Tiens, c'est pour toi, lui dit-elle en rougissant.

Enzo reconnaît un morse à ses immenses défenses. Pendant que Zoé et lui achèvent leurs dessins, Manon va chercher sa flûte traversière. Mais plutôt que de jouer un morceau, elle s'amuse à répéter chaque note avant de passer à la suivante. Zoé n'en peut plus :

— Tu nous casses les oreilles, Manon !

De retour à la cabane, Enzo montre le dessin à Max.

— Manon trouve peut-être que j'ai des grandes dents, qu'en penses-tu ?

Cependant, sa mère, qui l'a entendu rentrer, lui demande :

— Tu as vu le livre sur le morse ? Ta copine l'a déposé tout à l'heure. Ça devrait t'intéresser…

« Ce n'est pas un hasard si Manon a dessiné un morse, se dit Enzo.

Elle doit vouloir que je regarde son livre. »

À sa grande surprise, l'ouvrage ne parle pas de l'animal, mais de Samuel Morse et du code qui porte son nom. Au bout de quelques pages, il comprend que tout à l'heure, avec sa flûte, Manon essayait de lui transmettre un message en morse. Elle a répété les notes tant de fois qu'Enzo s'en souvient encore. Alors, il prend un carnet et transcrit les sons en points, pour les notes courtes, et en traits, pour les notes longues.

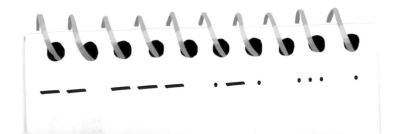

LE CODE MORSE

LETTRES

A .-	I ..	R .-.
B -...	J .---	S ...
C -.-.	K -.-	T -
D -..	L .-..	U ..-
E .	M --	V ...-
É ..-..	N -.	W .--
F ..-.	O ---	X -..-
G --.	P .--.	Y -.--
H	Q --.-	Z --..

PONCTUATION

POINT .-.-.-

VIRGULE --..--

POINT D'INTERROGATION ..--..

3 Des messages codés !

Allongé sur son lit, Enzo consulte l'alphabet morse. Chaque lettre de l'alphabet correspond à une succession de points et de traits. Ainsi, les deux traits correspondent au M, les trois traits au O, et ainsi de suite.

Il a vite fait de décoder le message, il s'agit du mot « morse », justement !

« Pourquoi Manon m'a-t-elle envoyé ce message codé ? » se demande Enzo. La réponse paraît évidente : pour que son frère ne sache pas qu'elle se confie à lui !

Soudain, Enzo est arraché à ses réflexions par un bruit pénible. Il ouvre la fenêtre de sa chambre. Au pied de la cabane, Manon tape sur une casserole avec une cuillère en bois.

Pas de doute, elle est en train de lui transmettre un nouveau message.

Aussitôt, Enzo reprend son carnet et note les sons qu'il entend : tantôt courts, tantôt longs, séparés par des silences plus ou moins espacés.

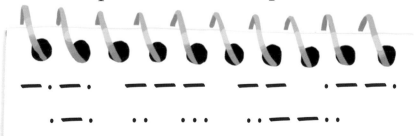

Enzo se reporte à l'alphabet morse et décode le message : « compris ? »

À son tour, il écrit :

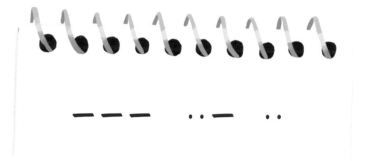

Autrement dit : « oui ».

Puis il frappe dans ses mains pour coder les trois lettres.

Manon n'a pas besoin de dictionnaire pour déchiffrer un message aussi simple. Elle a appris le code morse chez les scouts !

Maintenant qu'ils peuvent communiquer à l'abri des oreilles indiscrètes, Enzo espère que Manon va lui avouer son secret… Hélas, il va devoir attendre encore un peu : la mère de Manon réclame sa casserole !

4 La disparition

C'est l'heure du dîner. Les enfants prennent place à leur table.

— Vous avez vu ? dit Gabriel. C'est la pleine lune…

— Ça veut dire que cette nuit, le

monstre du lac va sûrement se montrer, affirme Joachim.

— Ça suffit ! se fâche Zoé. Tu vois bien que tu nous fais peur !

Un peu plus tard, pendant le repas, Manon se met à tapoter sur la table. Comme si elle s'ennuyait. Mais Enzo comprend que c'est encore un message en morse.

— Tu peux arrêter ce bruit ? lui demande son frère. C'est très agaçant !

Heureusement, Enzo a eu le temps d'enregistrer les sons dans sa tête. Il se lève pour aller aux toilettes. La porte à peine refermée, il note dans son carnet la succession des points et des traits.

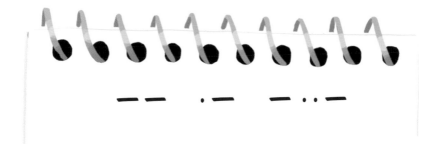

Enzo n'a plus qu'à consulter l'alphabet morse. Le message se réduit à un mot : « Max ». Enzo doit faire attention

à son chien ! En effet, il n'a pas oublié
que le monstre du lac se nourrissait à
l'occasion de petits animaux.

Après le dîner, Zoé reste jouer avec
Manon. Enzo, lui, préfère rentrer.

Quand il ouvre la porte, il est surpris que Max ne lui fasse pas la fête. Et qu'il ne réponde pas à ses appels. Soudain, son attention est attirée par des empreintes humides sur le plancher.

« L'intrus devait avoir les pattes palmées, observe Enzo. Peut-être bien un crapaud ? Oui, un crapaud géant ! »

Enzo en conclut que le monstre du lac a enlevé Max !

Sa lampe torche à la main, il s'apprête à partir lorsqu'il remarque quelque chose de bizarre dans la chambre de Manon : la lumière ne cesse de s'allumer et de s'éteindre. C'est sans doute Manon qui lui envoie ces signaux lumineux !

Enzo prend son carnet. Il y retrans-crit le message en morse…

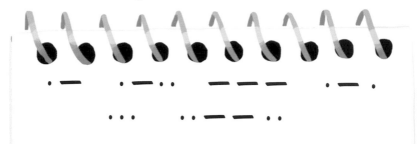

… puis le décode :

« Alors ? » lui demande-t-elle.

Enzo n'a plus qu'à transmettre sa réponse : à son tour, il allume et éteint plusieurs fois la lampe de sa chambre. Heureusement que ses parents ne le voient pas jouer avec l'interrupteur !

En morse, son message s'écrit :

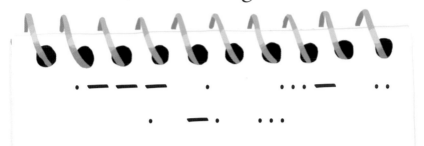

C'est-à-dire : « je viens ».

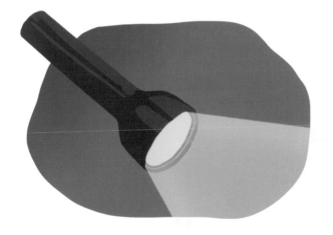

5 Une peur monstre !

Cinq minutes plus tard, Enzo retrouve Manon et Zoé devant la maison.

— Max a été enlevé, leur annonce-t-il.

— C'est bien ce que je craignais ! soupire Manon.

— Maintenant, tu dois me raconter ce que tu sais !

— Tu as raison ! Le monstre du lac…

— Eh bien, quoi ?

— C'est quelqu'un du village. Les nuits de pleine lune, il se transforme en crapaud-garou. J'avais promis à mon frère de ne rien dire…

— Mais tu m'as quand même envoyé les messages en morse…

— Oui, je ne voulais pas qu'on fasse du mal à ton chien !

Et elle se met à pleurer.

— Je suis sûr qu'on peut encore sauver Max. Conduis-moi au lac, Manon !

Les trois enfants suivent un sentier à travers la forêt. Un quart d'heure plus tard, ils arrivent devant une cabane de pêcheurs. Soudain, ils entendent des aboiements derrière la porte.

Enzo ouvre, Max lui saute dans les bras.

— Heureusement que le monstre avait gardé son casse-croûte pour plus tard ! se réjouit Zoé.

Manon vient de mettre la main sur un filet de pêche quand un terrible coassement se fait entendre. Ils aperçoivent par la fenêtre le crapaud-garou, éclairé par la lune, qui sort du lac. Les enfants sont morts de peur !

N'écoutant que son courage, Max court sur le monstre et se jette sur lui, le faisant tomber à la renverse. Sans réfléchir, les enfants se précipitent à leur tour et lancent leur filet. Enzo braque sa lampe sur la créature. Ce n'est pas un crapaud-garou, c'est un homme-grenouille ! Il s'est contenté de coller quelques plantes aquatiques sur une vieille tenue de plongée ! Le voilà qui enlève son masque.

— Mais c'est Joachim ! s'écrie Manon.

Gabriel se montre à son tour. Il tient un porte-voix : c'est pour ça que le coassement était si puissant.

— Avouez qu'on vous a bien eus !

Les deux garçons éclatent de rire. Manon, elle, est furieuse :

— Vous vous rendez compte de ce que vous avez fait ! Enlever Max, puis nous attirer au lac !

— Quand les adultes sauront ça ! renchérit Zoé.

Les garçons baissent la tête. Ils comprennent un peu tard qu'ils ont fait une grosse bêtise.

— S'il vous plaît, implore Gabriel, ne dites rien.

Peu après, les cinq enfants sont de retour aux cabanes. Devant la cuisine, Max se met à aboyer : trois jappements longs, suivis de trois autres, plus brefs.

— Ça fait « os » ! remarque Manon. Tu crois que ton chien connaît le morse ?

Les enfants éclatent de rire.

— En tout cas, conclut Enzo, Max a mérité une récompense !

Les aventures d'Enzo et Max, les apprentis détectives, continuent avec

Mes Premières
ENQUÊTES

Mes premières enquêtes
Le fantôme du château

Mes premières enquêtes
Mystère au zoo

Mes premières enquêtes
Mystère et bonhomme de neige

Mes premières enquêtes
Remous à la piscine

Les héros des lecteurs débutants
sont dans la collection Premiers pas !

Le Club des
Pipelettes
La maîtresse a
disparu !

Le Club des
Pipelettes
Soirée
pyjamagique !

Le Club des
Pipelettes
Chatastrophe !

Le Club des
Pipelettes
Le magicien
mystère

Lisa
et le Gâtovore

Lisa
et le Croquemot

Lisa
et le Chamboul'chiffre